folio cadet ■ premi

Traduction d'Anne de Bouchony
Maquette : Claire Poisson

ISBN : 978-2-07-063112-4
Titre original : *Wash Your Hands!*
Publié pour la première fois en 2000 aux États-Unis par Kane/Miller Book Publishers
Premier tirage à fins promotionnelles en 1998 par Andersen Press Ltd., Londres

Numéro d'édition : 372891
Loi n° 49-956 du 16 juillet 1949 sur les publications destinées à la jeunesse
Premier dépôt légal : février 2010
Dépôt légal : juillet 2020
Imprimé en France par Estimprim

Lave-toi les mains !

Tony Ross

GALLIMARD JEUNESSE

– Waouuuuuh !
La petite princesse ADORAIT se salir.

– Lave-toi les mains avant de manger ça ! dit la reine.
– Pourquoi ? demanda la petite princesse.

– Parce que tu as joué dehors, dit la reine.

– Lave-toi les mains ! dit le cuisinier.
– Pourquoi ? demanda la petite princesse.

– Parce que tu as joué avec Scruff.
Et sèche-les convenablement.

– Lave-toi les mains ! dit le roi.
– Pourquoi ? Je les ai lavées DEUX fois, répondit la petite princesse.

– Et tu dois les relaver parce que tu viens d'aller sur le pot.

2

– Lave-toi les mains ! dit la gouvernante.

– Je les ai lavées après avoir joué dehors. Je les ai lavées après avoir joué avec le chien. Je les ai lavées après être allée sur le pot. Je les ai lavées après avoir éternué…

... POURQUOI ? demanda la petite princesse.
– À cause des microbes et des saletés, dit la gouvernante.

– Qu'est-ce que c'est les microbes et les saletés ? demanda la petite princesse.

– Ce sont des HORREURS ! dit la gouvernante. Ils vivent dans les ordures...

... sur les animaux...

... et dans les postillons.

– Puis ils peuvent s'infiltrer dans ta nourriture et ensuite dans ton ventre…

... et alors ils te rendent malade.

3

– À quoi ressemblent les microbes et les saletés ? demanda la petite princesse.

– Ils sont pires que les crocodiles, dit la gouvernante.

– Il n'y a pas de crocodiles sur MES mains.

– Les microbes et les saletés sont plus petits que les crocodiles, dit la gouvernante. On ne peut pas les voir.

– Je ferais bien de me relaver les mains, se dit la petite princesse.

– Dois-je me laver les mains après m'être lavé les mains ?

– Ne sois pas stupide, dit la gouvernante. Mange ton gâteau.

– Est-ce que TU t'es lavé les mains ?

Avez-vous toujours été auteur-illustrateur ?
Non, je n'ai pas toujours été écrivain. J'ai commencé par être bébé. Puis, j'ai appris à écrire et j'ai juste continué. Bien sûr, j'ai fait d'autres choses, comme travailler dans la publicité ou enseigner le dessin.

Combien de livres avez-vous publiés ?
Je n'ai jamais compté. Je *pense* en avoir écrit plus d'une centaine et illustrés plus d'un millier.

Où et quand aimez-vous travailler ?
Je travaille chez moi dans un tout petit studio, seul, parfois avec mon chat qui vient souvent s'asseoir sur mes dessins. Alors je dois parfois dessiner autour de sa queue !

Faire rire, c'est essentiel pour vous ?
Oui, c'est essentiel. Chaque histoire doit transmettre une émotion, que ce soit de l'humour, de la peur ou de l'amour. J'aime l'humour, mais c'est ce qu'il y a de plus dur à écrire ! J'aime aussi dessiner des choses amusantes.

Qu'est-ce qui vous a inspiré pour écrire cette histoire ?
Toutes les histoires de la petite princesse sont inspirées de ma propre expérience avec mes filles. Toutefois, j'ai aussi de nombreux souvenirs personnels de lavage de mains avec mes parents à moi : enfant, j'avais tendance à être un peu sale !

Qu'aimez-vous faire pendant votre temps libre ?
Lorsque j'ai du temps libre... j'aime imaginer mon prochain livre ! Ce serait bien aussi de voyager, partir au soleil pour nager. L'Angleterre n'est pas le pays idéal pour ça ! J'aime aussi tout simplement passer du temps avec des amis.

je commence à lire

Pour les jeunes apprentis lecteurs
Niveau 1

n° 1 *Armeline Fourchedrue* par Quentin Blake

n° 2 *Je veux de la lumière!* par Tony Ross

n° 3 *Le garçon qui criait: «Au loup!»* par Tony Ross

n °4 *Gipsy et Alexis* par Emma Chichester Clark

n° 5 *Les Bizardos rêvent de dinosaures* par Allan Ahlberg et André Amstutz

n° 11 *Je veux une petite sœur !* par Tony Ross

n° 12 *C'est trop injuste !* par Anita Harper et Susan Hellard

n° 16 *Lave-toi les mains !* par Tony Ross

n° 20 *Crapaud* par Ruth Brown

→ je lis tout seul

Pour les jeunes apprentis lecteurs
Niveau 2

n° 8 *La belle lisse poire du prince de Motordu* par Pef

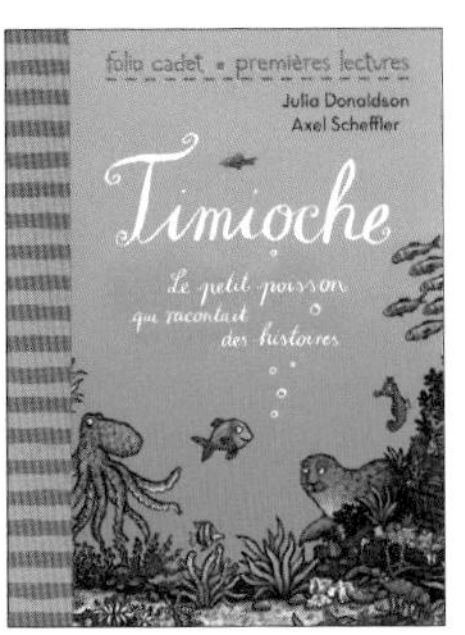

n° 9 *Timioche* par Julia Donaldson et Axel Scheffler

n° 10 *La pantoufle écossaise* par Janine Teisson et Clément Devaux

n° 13 *Le monstre poilu* par Henriette Bichonnier et Pef

n° 14 *Fany et son fantôme* par Martine Delerm

n° 15 *La sorcière aux trois crapauds* par Hiawyn Oram et Ruth Brown

n° 17 *La bicyclette hantée* par Gail Herman et Blanche Sims

n° 19 *La véritable histoire des trois petits cochons* par Erik Blegvad